まちごとチャイナ
遼寧省 001

はじめての遼寧省
大連・旅順・瀋陽
［モノクロノートブック版］

JN121942

渤海湾に伸びる遼東半島から南満州へと続いていく遼寧省。遼寧省という名前は、この地を南北に流れる「遼河河畔の安寧」を願って名づけられた（古くから遼河の東西という意味で遼東、遼西という言葉が使われてきた）。

　北京と朝鮮半島、ロシア極東地方へ続く地理をもつ遼寧省の地では、漢族、モンゴル族、満州族が入り乱れて暮らしてきた。また華北平原に近いところから、東北三省のなか

でもっとも早くから開発が進んできたという歴史もある。

　近代に入ると、日清・日露戦争の舞台となり、1906年以降の満鉄、1932〜45年には満州国のもと鉄道や炭鉱などの開発が行なわれた。そうしたところから、日本ととりわけ関係の深い地域として知られ、清朝発祥の地である省都瀋陽、遼東半島先端部の大連、旅順などの都市が位置する。

Asia City Guide Production
Liaoning 001
Liaoning
辽宁省／liáo níng shěng／リャオニンシェン

｜まちごとチャイナ｜遼寧省 001｜

はじめての
遼寧省

大連・旅順・瀋陽

「アジア城市（まち）案内」制作委員会
まちごとパブリッシング

Contents

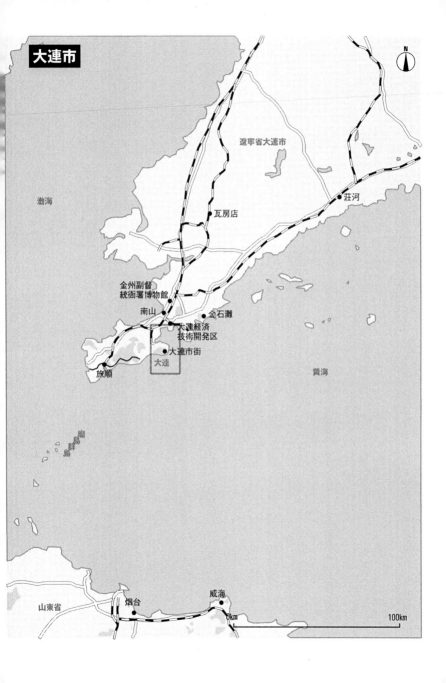

★★★
大連／大连 ダァリエン
旅順／旅順 リューシュン
瀋陽／沈阳 シェンヤン
★☆☆
遼陽／辽阳 リャオヤン
鞍山／鞍山 アンシャン

Introduction
遼河に育まれた豊穣の地

港湾都市大連、また省都瀋陽を中心に
撫順、鉄嶺、鞍山、遼陽、本渓、営口などの都市群
遼寧省は中国を代表する工業地帯となっている

遼寧省の地形

　遼寧省の中央を流れる遼河がつくる遼東平野を中心に、東部は森林地帯の遼東丘陵、西部は内蒙古に続く丘陵地帯が広がり、豊かな土壌と鉱産物に恵まれている（中央は平均海抜50m以下の平野となっている）。遼東半島周囲の渤海湾上には5000以上の島が点在し、中国有数の全長700kmの海岸線を抱える。この遼寧省は鴨緑江をはさんで朝鮮半島と、渤海湾をはさんで山東省と、また山海関の先の北京へ通じる地の利をもつ。内蒙古東部から遼寧省、朝鮮北西部まででひとつの文化圏を構成していたという歴史もある。

遼寧省の都市群

　遼寧省は中国のなかでも都市人口の割合の高い都市化が進んだ省として知られる。港湾都市の大連、省都瀋陽を中心に、「煤都（石炭）」撫順、「鋼都」鞍山、「煤鉄之城」本渓などの遼寧中部都市群が瀋陽経済圏をつくっている（瀋陽を中心に150km圏内に工業都市が集中する。遼寧省の市は面積が大きいため、人口が多い）。これら豊富な石炭、鉄鋼、天然ガスなどを擁する重工業地帯は、珠江デルタ、長江デルタ、環渤海湾経済圏に続く経済圏として注目されている。

中華と異民族のはざまで

　古く中国文明の起こった黄河中流域からは、遼寧省は辺境の地と見られていた。満州族、モンゴル族、漢族や朝鮮族など割拠する地で、遼河が国境の役割を果たすなど各王朝の勢力が衝突する地点となってきた(隋の煬帝は遼河を渡って高句麗の遼陽を落とそうとしたが失敗した)。こうした事情は、稲作などの農耕技術が山東半島から遼東半島へ伝わったということや、満州族による清が遼寧省から北京に王朝を樹立したということからも見てとれる。現在、混血が進んだことから、遼寧省の住民のほとんどが漢民族となっているが、少数民族としてモンゴル族、回族、朝鮮族、満州族なども暮らしている。

豊かな農産物

　遼河の氾濫でつくられた平野を中心に豊かな穀倉地帯が広がり、気候や土壌がよい遼寧省で収穫された食料は他の地域に輸出されている。トウモロコシ、大豆、小麦、アワ、コーリャンなどが栽培され、また営口や瀋陽近郊では稲作も行なわれている(紀元前6000年ごろには狩猟採集社会だったが、華北から遼西、遼東へと農耕が伝播した)。遼東半島のリンゴや桃、遼西のナシといった果実も遼寧省の名産品となっている。

日系企業も多く進出する大連の開発区

緑の芝生が美しい人民広場、大連には満鉄時代の遺構も残る

瀋陽屈指の繁華街、中街にて

大連市街を走る路面電車

Da Lian

大連城市案内

大連は遼東半島の先端に位置する港湾都市
1905年から45年まで日本統治時代が続いたこの街は
哀愁をこめて「アカシアの大連」と呼ばれる

大連／大连★★★
dà lián
だいれん／ダァリエン

　大連は中国東北地方最大の港湾都市で、北海の真珠と呼ばれる美しい街並みをもつ(また春にはアカシアが花を咲かせる)。瀋陽や遼陽といった街が古い歴史をもつのに対して、大連の歴史は海上交易が進んだ近代からはじまった。この地へ進出したロシアが1898年に清朝との条約で植民地化し、1905年の日露戦争後に日本に移譲された。1945年まで大連の経営にあたったのが南満州鉄道株式会社で、満鉄は港を整備し、満州各地からの物資を鉄道で大連駅へと運ぶなど中国を代表する港湾都市へと発展をとげた。中華人民共和国時代に入ってからも東北三省の玄関としての性格は続き、大連湾の対岸に位置する金州新区の開発もいちじるしい。

中山広場／中山广场★★★
zhōng shān guǎng chǎng
ちゅうざんひろば／チョンシャングゥァンチャン

　中山広場は、大連市街の中心に位置する直径210mの円形広場。周囲には満鉄などに資金を貸しつけた外国為替専門の旧横浜正金銀行大連支店、リットン調査団や夏目漱石な

どが宿泊し、迎賓館の役割を果たしていた旧大連ヤマトホテルはじめ、旧大連市役所、旧東洋拓殖株式会社大連支店など日本統治時代の遺構がずらりとならび、それらは今現在も使用されている。

旧ロシア人街／俄罗斯风情街★★☆
é luó sī fēng qíng jiē
きゅうろしあじんがい／オォロスフェンチンジエ

日本統治時代にかけられた勝利橋の北東側に広がる旧ロシア人街。ロシア人が暮らしていたことからこの名前で呼ばれ、現在でもロシア風の建築やキリル文字が見られる。ロシアの東清鉄道汽船会社跡の大連芸術展覧館はじめ、旧大連市長官邸、旧大連市政府大楼などは大連黎明期に建てられた。

大連駅／大连站★☆☆
dà lián zhàn
だいれんえき／ダァリエンチャン

満州各地へ伸びる鉄道が走り、乗降客の動線が上下二層に分離された大連駅。1937年の建造で、同時期につくられたことから上野駅と似たたたずまいをもつ。かつて大連駅近くの連鎖街や浪速町と呼ばれた天津街には多くの日本人が暮らしていた(また青泥洼路から大連の開発ははじまった)。

★★★
大連／大连 ダァリエン
中山広場／中山广场 チョンシャングァンチャン
★☆☆
大連駅／大连站 ダァリエンチャン
大連港／大连港 ダァリエングァン

旧横浜正金銀行、ここは日本植民地統治の中心だった

上野駅にそっくりな大連駅、日本人による設計

旧満鉄本社、株式会社が満州を経営した

日本風情街として整備された旧日本街

早餐とは朝ごはんのこと

魯迅路

旧大連埠頭船
客待合所

大連港

民生街

民主
広場

旧大連
海関

港湾
広場

民生街

旧大連
取引所

港湾街

五
路

地鉄2号線

路
迅
魯

世紀街

中山広場

魯迅路

路面電車201路

中山
広場

大連賓館
(旧ヤマトホテル)

大連満鉄
旧跡陳列館

三八
広場

二七
広場

延安路

大連大学付属
中山医院

南山街

旧日本人街

0km   1km

N

大連満鉄旧跡陳列館（旧南満州鉄道株式会社本社本館）／大連満铁旧迹陈列馆★★☆

dà lián mǎn tiě jiù jì chén liè guǎn

ダァーリエンマンティエジュウジイチャンリエガン

　　1906年から大連の植民地経営を行なった満鉄の本社がおかれていた大連満鉄旧跡陳列館。日本の国策会社であった満鉄は東インド会社を参考に株式会社の形態をとり、鉄道、港湾、炭鉱開発から教育、社会全般までを担当した。この建物の周囲には図書館や満鉄社宅などがあり、多くの日本人が暮らしていた。

旧日本人街／日本风情街★☆☆

rì běn fēng qíng jiē

じゅせいこう／リーベンフェンチンジエ

　　旧満鉄本社の裏手に広がる旧日本人街。大連市街を見渡せるこの丘陵地は満鉄によって開発され、当時の様子を思わせる日本家屋がならんでいる。

★★★

大連／大连 ダァリエン

中山広場／中山广场 チョンシャングァンチャン

★★☆

旧ロシア人街／俄罗斯风情街 オォロスフェンチンジエ

大連満鉄旧跡陳列館（旧南満州鉄道株式会社本社本館）／大连满铁旧迹陈列馆 ダァーリエンマンティエジュウジイチャンリエガン

★☆☆

大連駅／大连站 ダァリエンチャン

旧日本人街／日本风情街 リーベンフェンチンジエ

大連港／大连港 ダァリエングァン

大連港／大连港★☆☆

dà lián gǎng

じゅせいこう／ダァリエングァン

　　中国東北地方随一の港湾機能をもつ大連港。1899年のロシア時代に不凍港であるこの港の開発がはじまり、それは日本時代にも受け継がれた。戦前、日本と大連を結ぶ航路が往来し、大連港が多くの日本人にとって異国への第一歩になった。

はじめての遼寧省／大連・旅順・瀋陽

ドイツ人技師による大連芸術展覧館

人民広場

N

大連北駅へ

香炉礁

沙河口

地鉄3号線

大連駅

中長街

地鉄1号線

大連
火車駅

東北路

鞍山路

西安路

北京街

市場街

東関街

五
広場 長江路

大同街

興工街

振工街

青泥
窪橋

興工街

路面電車201路

地鉄2号線

五四
広場

聯合路

大連
人民政府

路面電車202路

中山公園

人民
広場

一二九街

人民広場

錦輝商城

黄河路

西安路

聯
合路

中山路

正仁街

解放広場

太原街

勝利路

大連
図書館

功成街

富国街

和平
広場

会展
中心

会展
中心

0km

3km

星海広場

Lu Shun

旅順城市案内

日露戦争の激戦が交わされた軍港旅順
乃木希典ひきいる日本陸軍は多大な犠牲をしいられながら
難攻不落と恐れられた旅順の要塞を陥落させた

旅順／旅順★★★
lǚ shùn
りょじゅん／リューシュン

　袋の口を閉めたような港をもち、後方に山が連なる旅順
は天然の要塞として知られ、古くから渤海湾の要地となっ
ていた。清朝末期の李鴻章の時代に北洋艦隊の拠点となり、
1894～95年の日清戦争で日本が占領。その後、三国干渉で
遼東半島を返還させたロシアによって近代要塞へと生まれ
変わっていた。1904～05年の日露戦争では、乃木希典ひき
いる日本軍とロシア軍によって激戦が交わされ、あたりに
は203高地や水師営会見所などが史跡する。

旅順駅／旅順站★☆☆
lǚ shùn zhàn
りょじゅんえき／リューシュンチアアン

　丸い緑の屋根をもつ木造の旅順駅。1900年ごろ、ロシア
によって建てられ、満鉄時代もひき続き利用されて現在に
いたる。

旅順

水師営
水師営
会見所

旅順

望台山
砲台

東鶏冠山
北堡塁

大連へ

東鶏冠山
北堡塁

地獄1・2号線

203
高地
203
高地

旅順

旅順
博物館

白玉山塔

旅順駅

旧旅順
工科大学

旅順
旧新市街

解放橋

旅順口

旅順港

南銃弾
倉庫

N

0km   5km

旅順博物館／旅順博物馆★☆☆
lǚ shùn bó wù guǎn
りょじゅんはくぶつかん／リューシュンボォーグァン

　　1917年に日本統治時代に開館した歴史をもつ旅順博物
館。トルファンで出土した唐代のミイラや、大谷光瑞のコレ
クションなど3万点を超える収蔵品を抱える。この博物館
の北側には日本の関東軍が拠点をおいていた旧関東軍司令
部博物館が立つ(関東軍は大連や旅順などの関東州と満鉄沿線、付属地
の警備にあたり、やがて暴走して1931年の満州事変へとつながっていっ
た)。

203高地／203高地★★☆
èr líng sān gāo dì
にひゃくさんこうち／アーリンサンガオディイ

　　旅順市街の北西2kmにそびえる203高地。日露戦争時、標
高203mのこの高地を占領したことで形勢が日本に有利に
展開し、旅順陥落につながった。この戦いで生命を落とした
人々を鎮魂するために乃木希典が建てた爾霊山塔、ここか
ら旅順港と市街へ砲弾を打ち込んだ28センチ榴弾砲などが
残る。

水師営会見所／水师营会见所★★☆
shuǐ shī yíng huì jiàn suǒ
すいしえいかいけんしょ／シュイシィーインフイジィアンシュオ

　　日露戦争の旅順攻防戦で降伏したロシア軍の司令官ス

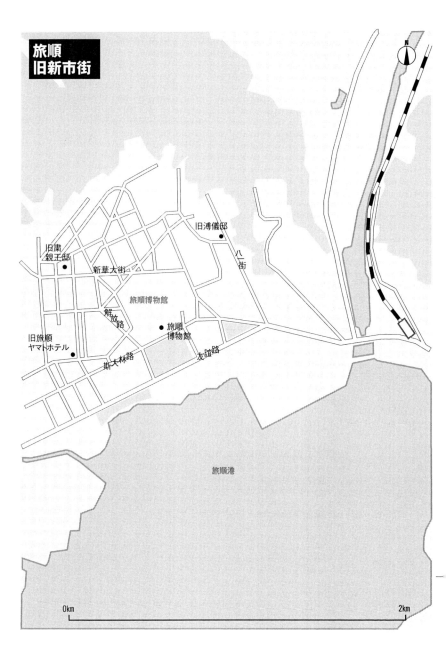

旅順
旧新市街

N

旧粛
親王邸

旧溥儀邸

新華大街

八一街

旅順博物館

解放路

旅順
博物館

友誼路

旧旅順
ヤマトホテル

斯大林路

旅順港

0km   2km

テッセルと乃木希典のあいだで会見が行なわれた水師営会見所。当時の写真や会見場の様子が展示されている。

東鶏冠山北堡塁／东鸡冠山北堡垒★☆☆
dōng jī guān shān běi bǎo lěi
とうけいかんざんきたほうるい／ドンジィグァンシャンベイバオレイ

東鶏冠山北堡塁は、ロシア軍によって築かれたコンクリートと石材で固められた要塞跡。日露戦争時、突撃を繰り返す日本軍はここからの機関銃の餌食になった。シャベルとツルハシで地下坑道を掘った日本軍は、203高地陥落後、この要塞の攻略に成功した。

★★★
旅順／旅顺 リューシュン
★☆☆
旅順駅／旅顺站 リューシュンチアアン
旅順博物館／旅顺博物馆 リューシュンボォウーグァン

乃木希典による爾霊山塔、203高地にて

緑の屋根が印象的な旅順駅

旅順博物館の向かいに立つ旧関東軍司令部博物館

旅順陥落後、乃木希典とステッセルがここで会談した

Liao Yang
遼陽城市案内

遼陽は遼寧省随一の歴史を誇る街
春秋戦国時代、前漢の時代から
この地方の中心として知られてきた

遼陽／辽阳★☆☆
liáo yáng
りょうよう／リャオヤン

遼陽は紀元前5世紀の燕代から都がおかれた中国東北地方屈指の古都で、中国王朝にとって異民族が暮らす東北地方の経営拠点となっていた。漢の武帝が遼東郡をここにおき、3世紀の後漢末には公孫氏がここで独立国を開いたという歴史をもつ(卑弥呼の倭がこの公孫氏に朝貢している)。遼陽という地名は渤海を滅ぼした遼が東京遼陽府をおいたことにちなみ、遼金時代にもここに都があったが、1625年に清の太祖ヌルハチが都を瀋陽に遷すと、その地位が瀋陽にとって代わられた。今では新興の工業都市といった性格をもつ。

白塔／白塔★☆☆
bái tǎ
はくとう／バイタァ

金代の1161～89年に創建された遼陽のシンボルとも言える白塔。金の世宗が母后のために立てたもので、高さ71m、八角13層の塔の壁面には坐仏や飛天などの彫像が見える。現在は公園として整備されている。

東京城／东京城 ★☆☆
dōng jīng chéng
とうきょうじょう／ドンジンチャン

　東京城は、1619年、撫順東方のサルフの戦いで明の大軍に勝利したヌルハチが遼東平野に進出し、そこで1622年に築いた清朝初期の城塞跡(1625年、ここから瀋陽に都を遷している)。古都のあった遼陽から太子河をはさんで対岸の地に建造され、周囲を3kmの外壁で囲まれていた。南の点幽門が残り、漢字と満州文字の表記が見られる。

東京陵／东京陵 ★☆☆
dōng jīng líng
とうきょうりょう／ドンジンリン

　東京陵は東京城に拠点を構えたヌルハチが、その一族を埋葬した陵墓。1624年に建造され、1654年になって祖父と父は永陵に遷されたたため、ヌルハチの弟とその子がまつられている。

鞍山／鞍山 ★☆☆
ān shān
あんざん／アンシャン

　遼陽の南に位置する鞍山は、中国を代表する製鉄の街として知られる(1918年、満鉄による鞍山製鉄所がおかれた)。また鞍山からさらに南15kmには湯崗子温泉が位置する。

★☆☆
遼陽／辽阳 リャオヤン
白塔／白塔 バイタァ
東京城／东京城 ドンジンチャン
東京陵／东京陵 ドンジンリン

鞍山

遼陽へ

千山中路

鞍山駅

建国大道

勝利広場

民生東路

中華南路

烈士山公園

園林大道

二一九公園

解放東路

0km   2km

N

遼寧省を貫流する遼河

　　中国東北三省を流れる河川は、渤海湾に注ぐ水系と黒竜江(アムール川)からアラル海に流れる水系があり、南に流れる水系の流域が遼寧省となっている(遼寧省北部の鉄嶺あたりが分水嶺)。そのなかでも19世紀になって鉄道が敷かれるまで、遼河ではジャンク船が行き交い、木材を南へ、塩を北へ運ぶなど、南満州の大動脈となっていた。こうした事情から遼河沿いに漢族などが進出し、遼河河口の牛荘が東北地方で最初に開港された。遼河による土砂の堆積がいちじるしいことから、明代、牛荘が河口だったが、さらに南の営口が実質的な港となった。

043

遼陽城市案内

★☆☆
鞍山／鞍山 アンシャン

Shen Yang
瀋陽城市案内

遼寧省の省都瀋陽は東北三省最大の都市
また清朝発祥の地でふたつの世界遺産を
抱える古都の顔もあわせもつ

瀋陽／沈阳★★★
shěn yáng
しんよう／シェンヤン

　街の中心に故宮、北側と東側に皇帝陵墓を残す瀋陽は、清朝発祥の地として知られる。1625年から1644年に北京に遷都されるまで、太祖ヌルハチ、ホンタイジ、順治帝という3代の皇帝がこの街で過ごした。こうして瀋陽は中国東北地方最大の都市へと成長し、1912年の清朝滅亡後も奉天軍閥の張作霖が瀋陽に拠点をおいて東三省を支配した。この張作霖を援助することで中国における権益拡大をはかったのが明治以降の日本で、1904〜05年の日露戦争で勝利したのち奉天と呼ばれたこの地へ進出した（満州事変は1931年、瀋陽郊外で勃発している）。こうした事情から、瀋陽の街は故宮を中心とする旧市街、日本の満鉄が開発した瀋陽駅周囲というふたつの軸を中心に郊外へと拡大を続けている。

瀋陽故宮博物院／沈阳故宫博物院★★★
gù gōng bó wù yuàn
しんようこきゅうはくぶついん／グゥウゴォンボォウゥユゥェン

　瀋陽故宮は北京遷都以前の清朝の宮廷跡で、満州族、モンゴル族、漢族の文化が融合した様式をもつ。ヌルハチ時代に建設され、満州族のテントや部族様式を残す東路、第2代ホ

瀋陽

N

● 昭陵

北陵公園

九・一八
歴史博物館

北塔

瀋陽
北駅

瀋陽鋳造
博物館

皇姑屯

瀋陽中心部

瀋陽
東駅

西塔街

市府
広場

中街

地鉄1号線

旧満鉄附属地

瀋陽駅

青年
大街

瀋陽
故宮

福陵へ

鉄西区

太原街

地鉄10号線

地鉄2号線

渾河

奥林匹克
体育中心

奥体
中心

地鉄9号線

0km

10km

ンタイジの時代に建設され、正殿の崇政殿や三層の鳳凰楼が軸線上に続く中路、また第6代乾隆帝の時代に整備された西路からなる(清朝歴代皇帝は北京遷都後もこの祖先発祥の地へ東巡した)。満州文字と漢字がならぶ扁額、オンドルを擁した清寧宮など、北方の満州族の要素がより強い故宮が見られる。

張氏帥府博物館／张氏帅府博物馆★★☆
zhāng shì shuài fǔ bó wù guǎn
ちょうしすいふはくぶつかん／チャンシィシュァイフゥボォウヴァン

　故宮の南側に位置する張氏帥府博物館は、1912年の清朝滅亡後に瀋陽を中心とする東北三省の実権をにぎった張作霖とその息子張学良の邸宅跡。馬賊を出自とする張作霖は清朝末期の混乱のなかで台頭し、やがて1927年には北京に入城して大元帥を称した(実質的に北中国の最高権力者となった)。この張氏帥府は、中華バロックと呼ばれる西欧風建築の大青楼や伝統的な四合院などからなり、現在は博物館として開館している。当初、張作霖は日本の援助を受けて勢力を広げていたが、やがて反日的な姿勢を示すようになったことから、1928年、瀋陽近くの皇姑屯で日本軍によって爆殺された。

旧満鉄附属地／満铁附属地旧址★☆☆
mǎn tiě fù shǔ dì jiù zhǐ
きゅうまんてつふぞくち／マンティエフゥシュウディイジュウチイ

　ロシアから権益を受け継いだ南満州鉄道の主要駅として

★★★
瀋陽／沈阳 シェンヤン
瀋陽故宮博物院／沈阳故宫博物院 グゥウゴォンボォウゥユゥェン
★★☆
昭陵(北陵)／昭陵 チャオリン
九・一八歴史博物館／九一八历史博物馆 ジュウイイバァリィシイボォウゥヴァン
★☆☆
旧満鉄附属地／満铁附属地旧址 マンティエフゥシュウディイジュウチイ
西塔街／西塔街 シイタァジエ

瀋陽中心部

岐山路

瀋陽北駅

聯合路

金融中心

奉天街

天后宮路

市府広場

遼寧省博物館

北順城街

太清宮

中街   中街   東中街

東順城街

清真南寺

西順城街

瀋陽故宮博物院

地鉄2号線

地鉄1号線

懐遠門   旧内城

旧満鉄奉天公所

張氏帥府博物館

青年大街

南順城街

瀋陽天主教堂

青年公園

青年公園

N

0km   2km

建設された瀋陽駅(同時期に建てられた東京駅と外観が似ている)。
この瀋陽駅を中心に東側に広がるのが旧満鉄付属地で、戦前、多くの日本人がこの地に暮らしていた。瀋陽屈指の通りとして知られる太原街、旧ヤマトホテルや旧横浜正金銀行など日本統治時代の建築がずらりとならぶ円形の中山広場などが位置する。

西塔街／西塔街★☆☆
xī tǎ jiē
せいとうがい／シイタァジエ

　旧満鉄附属地の外側(北側)に南北に続く西塔街。ここは中国を代表するコリアタウンで、韓国料理や朝鮮料理を出す店がならぶ。

昭陵(北陵)／昭陵★★☆
zhāo líng
しょうりょう(ほくりょう)／チャオリン

　万里の長城の外側に残る関外三陵のなかでもっとも美しいたたずまいをもつ言われる昭陵。満州族による清朝第2代皇帝ホンタイジ(1592～1643年)とその皇后ボアルジジトが眠り、周囲は北陵公園として整備されている(瀋陽北に位置することから北陵)。1651年に完成した建物は軸線上にならび、皇帝のみ許された黄金の瑠璃瓦がふかれている。福陵とともに世界遺産に指定されている。

★★★
瀋陽／沈阳 シェンヤン
瀋陽故宮博物院／沈阳故宮博物院 グウゴォンボォウゥユゥェン
★★☆
張氏帥府博物館／张氏帅府博物馆 チャンシィシュァイフゥボォウゥグァン

北京故宮と同じ黄色の瑠璃瓦をもつ瀋陽故宮

瀋陽駅前、奉天と呼ばれた瀋陽に多くの日本人が暮らしていた

堂々としたたたずまいの鳳凰楼

張作霖と張学良が暮らした張氏帥府博物館

九・一八歴史博物館／九一八历史博物馆★★☆

jiǔ yī bā lì shǐ bó wù guǎn

きゅういちはちれきしはくぶつかん／ジュウイィバァリィシイボォウグァン

　　1931年9月18日、日本の関東軍によって満鉄線が爆破され、それを中国側のしわざとして軍事行動を開始した満州事変(翌年、日本の傀儡政権満州国が建国された)。中国では満州事変を「九・一八(ジュウ・イィ・バァ)」と呼び、この博物館では当時の記録や展示が見られる。

福陵(東陵)／福陵★★☆

fú líng

ふくりょう(とうりょう)／フゥウリン

　　清朝の太祖ヌルハチと皇后イェヘナラが眠る福陵。瀋陽市街から東に11km離れ、天柱山を背後に渾河を前にした最高の風水の地に位置する。満州族をひきいて挙兵したヌルハチは1919年にサルフの戦いで明軍を破り、1625年に瀋陽に遷都した。福陵の扁額では、満州文字が中央に大きく記されているのが注目される(その両脇に小さく漢字とモンゴル文字がならぶ)。

★☆☆
旧満鉄附属地／満铁附属地旧址 マンティエフゥウシュウディイジュウチイ
西塔街／西塔街 シイタァジエ

瀋陽北部

三台子

陵西

昭陵

抗美援朝
烈士陵園

新楽
遺址

新楽
遺跡

北陵公園

陵園街

望花南街

北陵
公園

遼寧省
人民政府

鴨緑江街

九・一八
歴史博物館

地鉄10号線

中医薬
大学

地鉄2号線

楽山東路

陵東街

北海街

長江街

寧山路

北塔

北塔

岐山路

聯合路

合作街

瀋陽
北駅

金融
中心

天后宮路

市府
広場

東中街

瀋陽駅へ

青年
大街

中街

地鉄1号線

懐遠門

瀋陽旧城

N

0km   3km

瀋陽東部

N

瀋陽繞城高速

福陵
福陵
森林公園

福陵

高官台街

瀋陽
東駅

東陵
路

瀋北東路

東陵
大橋

地鉄1号線

黎明
広場

滂江街

東中街

大東路

瀋撫大道

中街

渾河

地鉄10号線

瀋水東路

長青橋

渾南東路

地鉄9号線

長青
南街

0km   5km

完全なかたちを保つと言われる昭陵（北陵）

瀋陽故宮のなかに配置された奇石

ヌルハチが眠る福陵（東陵）の楼門

Machi No Utsurikawari

城市のうつりかわり

遼寧省を南北に流れる遼河
この地は遼河とともに育まれ
それはやがて南満州鉄道にとって代わられた

民族雑居の地 (古代)

　遼寧省には古くから人類の痕跡が見られるが、漢族から
は東夷と呼ばれたモンゴル系、ツングース系の人々が雑居
していた。これらのなかには高句麗や百済を樹立した夫余
族もいて、遼寧省、東内蒙古、朝鮮半島北部は同一の文化を
有していた。人々は採集をする生活をしていたが、やがて華
北や山東半島からこの地に農耕が伝わった。

燕・秦 (紀元前5世紀〜)

　遼寧省へ漢族が進出するのは春秋戦国時代の燕の時代
で、現在の遼陽に拠点をおき、遼寧省北部を東西に走る万里
の長城が築かれた。燕は中国の文化をこの地に伝え、やがて
秦の始皇帝の勢力下に入ると、遼東郡、遼西郡がおかれ、朝
鮮半島への交易の道が開かれた。

漢・後漢・公孫氏 (紀元前2〜3世紀)

　漢の武帝は遼寧省から吉林省南部にかけ四郡をおき、遼
陽がその中心となっていた。漢族による東方経営は大きく
前進したが、後漢代になると中原の混乱もあって漢族は後

退し、遼陽の太守であった公孫氏が独立して王国を築いた（邪馬台国の卑弥呼はこの公孫氏に朝貢していた）。

五胡十六国・高句麗 (4〜6世紀)

漢族の勢力が縮小するなかで、北方では鮮卑族やモンゴル族が台頭し、中国は南北朝時代を迎えた。こうしたなか遼東半島は遼寧省の卒本、また吉林省の集安、平壌へと都を移しながら、勢力を拡大させた高句麗と、前燕、北魏、北斉などの中国北朝が東西に並立する状態となった。この時代、遼河が両者の国境となり、遼寧省における中国北朝の都は朝陽にあり、一方、高句麗側は遼陽や撫順を拠点とした（遼河沿いに高句麗による長城が築かれた）。

隋唐 (6〜10世紀)

589年、北朝から出た隋によって南北朝は統一されたが、以前、遼河より東には高句麗が健在だった。隋の煬帝は今の北京から高句麗へと兵を出したが、遼陽を中心とする高句麗を倒すことはできず、繰り返された高句麗遠征の失敗を機に隋はわずか38年でついえた。隋に代わった唐は、新羅との連合軍で遼陽を陥落させ、668年、高句麗は滅亡した。以後、この地には唐の勢力がおよぶようになった（また高句麗移民による渤海が建国された）。

遼金元 (10〜14世紀)

唐末になると各地方の民族が勃興し、モンゴル族の契丹が中国東北地方から内蒙古にかけて勢力を広げ、渤海も滅ぼされた。この契丹の王朝が遼で、200年のあいだ遼寧省、中国北部を支配したが、やがて1115年に黒龍江省ハルビン近くで起こった満州族の金にとって代わられた（遼金時代、と

次々に高層建築が建ってゆく

街角では屋台が出ていた

漢族とは異なる文化をもった満州族の衣装

皇帝陵墓や故宮など多くの見どころがある瀋陽

もに遼陽に首都に準ずる副都がおかれていた）。金はモンゴル高原から起こった元によって1234年滅び、元の支配は新羅に続く高麗(朝鮮半島)にまでおよんだため、朝鮮半島、モンゴル高原、中国を結ぶ遼寧省の重要性が増した。

明清 （14〜20世紀）

　1368年、元を北方に追いやって建国された明は、中国東北地方へも勢力を拡大させた。遼寧省には万里の長城(辺墻)が築かれ、漢族と異民族との境界線となった。漢族による異民族統治の拠点がおかれた撫順の東側で勢力を拡大させたのが満州族で、1619年、ヌルハチにひいきられた満州族はサルフの戦いで明軍を破って1625年、瀋陽に都がおかれた(1636年、清朝樹立)。以来、遼陽にあった遼寧省の首府は瀋陽に代わり、清朝が北京に遷都したあとも瀋陽は北京に準ずる陪都となった。1740年、清の第6代乾隆帝によって、満州族発祥の地である東北地方への漢族の移住を禁じられ、遼寧省と中国東北地方は神聖な地としての性格が続いた。

近代 （1894〜1945年）

　清朝末期の遼寧省は日清戦争、日露戦争の舞台となり、旅順、遼陽、瀋陽などが戦場となった。こうした混乱のさなか頭角を現したのが馬賊を出身とする張作霖で、辛亥革命を機に瀋陽に拠点をおき東北三省の実権をにぎった。1905年の日露戦争の勝利で大連、旅順などを獲得した日本は、この張作霖を援助することで中国の権益確保を目指した(遼東半島先端の関東州と満鉄沿線が日本の領土となった)。こうしたなか排日の機運が高まると、日本軍は1928年に張作霖を爆殺、1931年に満州事変を起こして満州国が建国された。多くの日本人が大連や瀋陽に移住したが、1945年の終戦とともにそれらの人々は日本に帰国することになった。

現代（1949年～）

　遼寧省は日本の満洲国時代から石炭、鉄などの重工業が発達した地域だったが、その性格は1949年の中華人民共和国成立後も受け継がれた。瀋陽を中心に撫順、鞍山、鉄嶺、本渓といった豊富な地下資源をもつ有する都市が続き、20世紀後半に一時、停滞したものの、現在、遼寧中部都市群が注目を集めている。この省には省都瀋陽のほか、東北三省の港となる大連、日露戦争の激戦地となった旅順、炭鉱都市の撫順など日本と深い関わりをもつ街が点在する。

『図説「満洲」都市物語』(西沢泰彦/河出書房新社)

『中国の歴史散歩1』(山口修・五味充子・鈴木啓造/山川出版社)

『ヌルハチの都 満洲遺産のなりたちと変遷』(三宅理一/ランダムハウス講談社)

『奉天と遼陽』(鴛淵一/冨山房)

『大連市史』(大連市編/大連市)

『全調査東アジア近代の都市と建築』(筑摩書房編/大成建設)

『世界大百科事典』(平凡社)

[PDF] 大連地下鉄路線図http://machigotopub.com/pdf/dalianmetro.pdf

[PDF] 大連旅順金州地下鉄路線図http://machigotopub.com/pdf/dalianlushunmetro.pdf

[PDF] 大連空港案内http://machigotopub.com/pdf/dalianairport.pdf

[PDF] 大連路面鉄道路線図http://machigotopub.com/pdf/dalianromen.pdf

[PDF] 瀋陽地下鉄路線図http://machigotopub.com/pdf/shenyangmetro.pdf

[PDF] 瀋陽空港案内http://machigotopub.com/pdf/shenyangairport.pdf

OpenStreetMap

(C)OpenStreetMap contributors

はじめての遼寧省／大連・旅順・瀋陽

まちごとパブリッシングの旅行ガイド

Machigoto INDIA , Machigoto ASIA , Machigoto CHINA

マカオ-まちごとチャイナ

Juo-Mujin（電子書籍のみ）

自力旅游中国Tabisuru CHINA

遼寧省

0km   500km

大連市

N

0km   100km

大連

0km　　　　　　　　　　　　　　　10km

N

N

0km   2km

大連中心部

大連駅

0m　　　　　　　　　　　500m

N

魯迅路

0km 1km

N

人民広場

大連市
経済技術開発区

N

0km   3km

旅順

0km ————————————————— 5km

旅順
旧新市街

N

0km 2km

遼陽

0km 5km

鞍山

0km　　　　　　　　　　　2km

瀋陽

0km   10km

瀋陽中心部

N

0km   2km

瀋陽故宮

0m   200m

瀋陽北部

瀋陽東部

N

0km 5km

【車輪はつばさ】
南インドのアイラヴァテシュワラ寺院には
建築本体に車輪がついていて
寺院に乗った神さまが
人びとの想いを運ぶと言います

An amazing stone wheel of the Airavatesvara Temple
in the town of Darasuram, near Kumbakonam in the South India

まちごとチャイナ
遼寧省 001

はじめての遼寧省
大連・旅順・瀋陽
[モノクロノートブック版]

「アジア城市 (まち) 案内」制作委員会
まちごとパブリッシング
http://machigotopub.com

・本書はオンデマンド印刷で作成されています。
・本書の内容に関するご意見、お問い合わせは、発行元の
　まちごとパブリッシング info@machigotopub.com までお願いします。

まちごとチャイナ
新版 遼寧省001はじめての遼寧省
〜大連・旅順・瀋陽

2020年 8月15日　発行

著　者　　「アジア城市（まち）案内」制作委員会
発行者　　赤松　耕次
発行所　　まちごとパブリッシング株式会社
　　　　　〒181-0013　東京都三鷹市下連雀4-4-36
　　　　　URL http://www.machigotopub.com/
発売元　　株式会社デジタルパブリッシングサービス
　　　　　〒162-0812　東京都新宿区西五軒町11-13
　　　　　清水ビル3F
印刷・製本　株式会社デジタルパブリッシングサービス
　　　　　URL http://www.d-pub.co.jp/

MP280

ISBN978-4-86143-431-0 C0326　　Printed in Japan